저자소개

명상철학가

저서

「마음과 자연과 사색에 대하여」

「삶과 사색에 대하여」「사람 꽃」

「길 위에서 사색」「사색 구름 위를 걷다」

사색 피리 부는 달

발 행 2017년 02월 13일

저 자 박찬우

펴낸곳 주식회사 부크크

주 소 경기도 부천시 원미구 춘의동202 춘의테크노파크2차 202동 1306호

전 화 (070) 4085-7599

E-mail info@bookk.co.kr

ISBN 979-11-272-1077-9

www.bookk.co.kr

사색 피리 부는 달

박 찬 우

목 차

작가의 말

퉁퉁 부은 마음
밤새 뜬눈이다.

피리 부는 달
연인이 되어준다.

달은 온몸으로
선율을 조율한다.

달은 어둠에서 항상
사색 피리 불어 준다.

2017. 1. 백마산에서

제 1 장 마음에 대하여

마음에다 중심을 두면

마음에다 중심을 두고
세상을 향해 하고자 한다.
몸은 걱정하지 않으면서
마음을 쉽게 따라간다.

몸에 중심을 두고 간다면.
마음은 많은 걱정을 한다.
걱정은 마음만이 할 수
있기에 수심으로 따라간다.

마음속에 행복이

현재의 여정이 어렵고
힘들어도 살아있으므로

이미 행복 속에 있다는
마음을 지속하여 보자.

마음속에서 행복하다.
만사 행복한 속에 있다.

마음이 있기에

서로가 표현력은 달라도
속마음으로 사색을 하는

마음자리를 갖추고 있다면
서로가 마음을 통할 수 있다.

사색하는 마음이란 이미
교감 할 수 있는 마음이다.

멀리서 보면 아름다운 것도

멀리서 보면 아름다운 것도
가까이에서 보면 생각보단
그리 아름답게 보이지 않는다.

가까이 다가와 있기에 힘들지
않고도 그 아름다움을 붙잡고
충분히 볼 수 있기 때문이다.

가까이 있어도 이미 아름답다.
주관적인 시각으로 객관적인
아름다움을 잊어버릴 수 있다.

따뜻한 마음이란

따뜻한 마음으로 다가
간다면 결점이 있는

곳마다 따뜻한 마음을
가득 채워 넣을 것이다.

따뜻한 마음이란 매순간
결점이라고 보일 때마다
그것을 지우는 마음이다.

이면을 보는 마음은 1

어떠한 현상을 볼 때에
이면을 생각하라는 것은

어떤 일을 도모하는 나의
속마음을 보라는 뜻이다.

외면의 시각으로만 보면
이면을 보는 것이 아니다.

당연히 나의 속마음으로
자신을 보는 것을 말한다.

이면을 보는 마음은 2

동행을 하고자 할 때는
동행하는 이의 마음을
잘 살펴보면서 마음이
어디쯤 대부분 머물고
있는지 알아야 한다.

상대방의 마음을 헤아리는
만큼 동행하는 여정에서
나의 마음 또한 사색의
여정 속에 잘 살아 숨 쉬고
있기 때문이다.

마음의 문이란

마음이 들고나는 문이
보이는 문으로 있다면

아무도 마음을 좁은 몸
안에 두지 않을 것이다.

처음부터 문이 없으니
마음은 들어있지 않다.
마음은 허공과 같아서
문 따윈 필요가 없다.

다만 심호흡을 하듯이
생각이 몸 안에서 왔다
갔다 하는 것이다.

마음의 문은 어디쯤

마음의 문은 어떤 형태의
형상으로 있어서 보이는
존재로 있는 문이 아니다.

마음과 대상의 경계에서
보이지 않는 마음의 문으로
자리 잡고 있다.

있는 그대로의 사물에 더해
사색하면서 바라본다면 마음의
문을 지금 열고 있다.

화가 나면 감정이

화는 감정을 달구어
마음을 상하게 한다.

상한 마음엔 본능적인
감정만 존재하게 된다.

인간다움을 위한 감정은
차갑고 냉정한 상태에서
이성으로만 작동한다.

살아 있는 것만으로

살아 있는 것만으로도
행복하여야 하는 것을
늦게라도 알았더라도

실망하거나 포기하지는
절대 하지 말아야 한다.

처음부터 자성의 마음을
깨우치는 마음이라면
깨우치는 것도 아니다.

잊어버리는 것과 갖다버리는 것

이제는 필요치 않게 되어
버리는 것과 아끼는 물건
이였지만 잊어버린 경우는
결과로는 둘 다 버린 것이다.

그것에 마음을 두고 있다면
미련과 아쉬움이 있을 것이다.

결국, 그것의 가치의 비중이
아니라 그것에 대한 마음의
시선의 비중이 문제인 것이다.
결국, 내 시선이 중한 것이다.

마음의 결정체는 무엇일까?

마음을 다한다는 말이 있다.
마음은 혼이란 보석이 된다.

마음이 과거와 현재와 미래에
일관되게 어떠한 목표를 향해

하나의 뜻으로 매진한다면
이를 혼이라 부를 수 있다.

물론 여러 객체의 마음들이
하나로 뭉쳐서 하나가 될 때
집합 체적인 혼이라 부른다.

마음은 생의 길

마음이 생의 길이다.
현실적인 길을 오고
가고는 마음에 따라
몸이 움직이는 현상에
불과하기 때문이다.

본능과 이성과 자성의
마음자리에서 마음이
머무르고 움직임에 따라
길이 생기기 때문이다.

살면서 처음처럼 산다는 것은

항상 설레는 마음이 드는 생활을
할 수 있는 것을 말하는 것이다.
그래서 사람을 만나든 사물들을
대하든 늘 상 새로운 것을 통해
처음처럼 설레는 마음을 갖고자 한다.

그러나 이들은 다 외부적인 요인을
통해 일시적으로 마음에서 느끼는
감정을 갖기에 한계점이 분명 있다.
스스로 항상 마음을 새롭게 할 수 있는
잘 숙련된 마음의 조련사가 되어야 한다.

먹는 것이 본능이지만

음식만을 먹는다는 것은
어쩌면 몸을 위한 생존
본능에 해당할 것이다.

조금은 차분히 음식을 먹어
몸의 본능에 빠지지 않고
마음이 먹도록 해야 한다.

다른 생명에 대한 고마움을
미안한 마음으로 느낄 때
마음으로 음식을 먹는 것이다.

제 2 장 사색에 대하여

뜬구름 잡는 것이 1

어떤 이는 철학적 사색에
몰입해 있는 필자를 보고
뜬구름만 잡고 산다 한다.
그러나 철학의 세계에서는
가장 소중한 말이다.
뜬구름을 잘 잡는 사람이
진정 철학자이기 때문이다.

뜬구름이란 하늘의 구름만을
표현하고 생각하면 어리석다.
어떠한 것도 걸림이 없이
거침없는 자유로운 사색의
마음을 이야기하기 때문이다.

뜬구름 잡는 것이 2

세상일을 하면서 치밀하지
못하고 실속은 없으면서
과도하게 본능적 욕심을
갖는 이를 책할 때 자주
인용하여 쓰이는 말이다.

바르게 쓰임이 아니다.
모으고자 하는 본능적
욕구의 목적 행위에
수단으로써 유용한 학문과
기술이 아니면 무용하다는
의미가 있기 때문이다.

사색 피리 부는 달 1

달은 오늘 밤에도
피리를 불고 있다.

어두운 밤하늘에
반달 보름달 그믐달
음계를 조율하면서

어둠 속의 막힌 숨통
활짝 열고 노래한다.

사색 피리 부는 달 2

그 피리 소리에
어둡고 힘든 세월
위로받은 사람들

달은 오늘도 온몸
모진 바람 막으면서
피리를 불고 있다.

사색 피리 부는 달 3

어둡고
캄캄한 밤하늘

밤마다
모양 바꾸며

온몸으로
피리 구멍 되어

구슬픈 선율로
위로하고 있다.

본능이 목표가 된다면

자기만을 위한 야망과 목표의
근저에는 욕심이 내재 되어 있다.
이것은 생명체의 본능일 것이다.

결국, 각 객체의 본능충족을
위해서 세상은 싸움터가 된다.
우리는 하나라는 것을 달고 산다.

한 개인의 욕심을 채우는 것만이
아니기 위해서는 각자가 고도의
인간다움을 위한 감정을 유지하는
책임 있는 이성이 발동되어야 한다.

사색이란

드러나 보이거나 보이지 않는
사물과 존재에 대해서 정리한다.

설명해 놓은 것을 의식 속에서
따라 하기보다는 사물과 사물의
단어와 단어 사이를 거닌다.

이처럼 무의식의 세계를 확장하여
새로움을 모색해 보는 정신작용을
사색이라 할 수 있을 것이다.

생각나는 것을 반문한다면

생각나는 것들을 바로바로
드러내어 표현하고자 한다.

그러나 드러내어 표현하기
전에 한 번 더 나에게 반문

하여 마음속으로 생각한다면
사색의 여정이라 할 것이다.

인생을 길이라 하지 마라

인생을 길이라고 말하는
순간부터 떠나기 바쁘다.

인생은 길이 아니라 마당이다.
우리는 이 마당에서 태어나서

이 마당에서 시작과 끝을 본다.
인생은 길이 아니라 마당이다.

이상을 실현하기 위해서는

이상을 실현하기 위해서는
이성이 항시 작동되는지를
보면서 흔들리지 않아야 한다.

목표는 이성적이어야 한다.
이성에서 벗어나지 않아야
진정한 이상이 되기 때문이다.

이상은 욕심이 아니라 이성이
지향하는 결정체이기 때문이다.

사색이란

드러나 보이거나 보이지 않는
사물과 존재에 대해서 정리한다.

설명해 놓은 것을 의식 속에서
따라 하기보다는 사물과 사물의
단어와 단어 사이를 거닌다.

이처럼 생각의 세계를 확장하여
새로움을 모색하여 보는 작용을
사색이라 할 수 있을 것이다.

차가운 이성으로

한줄기 서늘한 냉기
온몸을 마사지하듯
몸속으로 파고든다.

외부로 향한 눈길
반짝이는 안광이 되어
마음으로 다가간다.

냉기로 차가워진 이성
마음 곳간에 사색 향기
가득 채워 넣는다.

철학적 인생관이 필요한 것은

인간다움을 위한 감정은 항시
작동하고 유지 되지 않는다.
그래서 흥분할 때는 감정이
일어나 쉽게 본능으로 작동한다.

이를 항시적으로 제어해줄 수
있는 것이 철학적 인생관이다.
본능의 질주를 막아 줄 수 있는
철학적 인생관이 필요하다.

이 인생관이란 사람다움을 위한
정신적 제어 장치이기 때문이다.

사색이란

사색이란 철학적 명제를
마음으로 느끼고 사유해
보는 시간을 갖는 것이다.

관념적으로 사물에 대해
생각하는 지식을 의미하는
것과는 또한 다르다.

사색은 명상을 전제로 하기
때문에 세상을 향하고 있는
마음의 눈을 잠시 내 안으로
방향을 바꾸는 것이다.

인간다움을 위한 이성이란

누군가가 거친 말과 행동으로
시비를 걸어온다 하더라도
똑같은 방식으로 대응하는 것을

망설인다면 그것은 인간다움을
위한 감정을 버리지 않은 이성이
작동하기 때문이다.

이성이야말로 내가 야만인이
안 되는 것을 부끄러워하지
않는 인격의 수준을 나타낸다.

생각은 떠오른 것일까

태양이 뜨는 것도 아닌데
생각이 떠오른 다고 한다.

그렇게 표현하는 것은
태양의 영향을 받는 것이다.

태양 빛은 하나가 처음부터
이어지는 것처럼 보이지만
사실은 파장으로 전달된다.

바람이 스쳐 갈 때 빨래가 바싹
마르듯이 생각 또한 스쳐 갈 때
바로 메모를 해야 한다.

그릇에 꽃무늬가

그릇에 꽃무늬가
새겨있다면

그릇에 담겨있는
조각난 생명체에게

얼마간의 위로가
될 수 있겠다.

그릇의 아름다움에만
빠져있다면 그것은

사색 속에 아름다움
이라 하긴 어렵다.

나를 보더라도

나를 보더라도 남의
측면에서 보아야 한다.

내가 내 얼굴을 직접
볼 수가 없기 때문이다.

그런데도 내가 나를 제일
잘 볼 수 있다고 한다.

자기마당을 갖는 것이란 1

자기 마당을 만들어야 한다.
그것이 인생관을 갖는 것이다.

프로들은 마당에 현란한 불빛과
모닥불을 피우는 재주가 있다.

그 마당에 사람들이 모여든다.
그곳은 그들의 마당은 아니다.

또 다른 나와 사색

어떠한 사물을 관하고
있는 총체적인 내가 있다.

철학적 인생관에 머물려
있는 또 다른 내가 있다.

내 안에서 나와 또 다른 내가
서로 간에 사색의 대화를 한다.

자기를 설명하라 하니

자기를 설명하라 하니
주변의 상황만 말한다.

자기는 없고 사물만 있다.
본질은 인간이란 종이다.

그래서 자기를 설명할 때는
어떠한 철학적 인생관이
있는 존재라고 해야 한다.

생각나는 것을 바로

생각나는 것들을 바로
겉으로 드러내지 않고

그 생각을 나에게 한번
더 반문하여 말한다면

사색하는 마음을 품은
이성적인 언어가 된다.

고전을 공부하는 것은 1

고전을 공부한다는 것이란
과거의 사회로 가는 것이다.

또한, 나 자신이 과거의 사람이
되어 그 시대에서 호흡한다면
생은 더욱 확장되는 것이다.

물론 고전 속 과거에서 현재에
필요한 사자성어 정도만 활용
한다면 현재의 생을 확장하는
것이라 말할 수가 없다.

고전을 공부할 때는 2

고전을 공부할 때는 당시 고전의
시대로 시간여행을 하여야 한다.
그리고 그 시대의 환경과 인물에
호흡을 맞추며 공부하여야 한다.

고전을 공부하면서 현대적 인물과
환경을 함께 넣어 오늘의 시각으로
바라보거나 공부하여 서술한다면
고전에 온전히 몰입한 것이 아니다.

고전을 배우는 가장 큰 의미 중에
하나는 생을 확장하여 살아가는데
지혜롭게 살아가기 위해서이다.

고전을 공부 할 때는 3

고전은 읽는다는 것은
사색을 통해 마음을 성숙
하게 완성하는 것이다.

고전의 용어만 인용해서
사용한다면 현재의 집에
과거에 쓰였던 비석을
정원에 들이는 것과 같다.

고전을 읽는 가치란 오늘
호흡하면서 사는 집에
주춧돌이 되어야 한다.

어떠한 사상에 접근하기 전에

사상의 바다를 향해 하고자
한다면 먼저 자기의 마음의
배 상태를 잘 점검 하여야 한다.

사상은 큰 바다와 같아 잔잔해
보이지만 언제 어떻게 변화하여
노도를 일으킬지 모르기 때문이다.

이에 튼튼한 이성의 배와 철학적
인생관이란 좌표를 잘 설정하여야
항해 잘할 수가 있다.

정신적인 무소유

어떠한 곳에 인연이 있다.
그곳은 정신적으로 이어져
소유의 모습과 형태로 있다.

이곳의 공공의 휴양림은
얼마간의 이용료만 낸다면
정신적인 소유와 무관하게
하루라는 세월을 얻는다.

이곳은 정신적인 소유도 없다.
소유는 물질적인 것만 아니라
정신적으로도 해당이 된다.

잘 다듬어진 인생관은

잘 다듬어진 철학적 인생관은
어디에다 쓸 수 있을까?

살다 보면 수많은 나사 모양 같은
생각들을 풀고 조여야 한다.

잘 만들어 튼튼한 드라이버가
있다면 쉽게 풀거나 조일 수 있다.

제 3 장 자연에 대하여

고추와 수박이 사는 법 1

고추는 푸르다가
빨갛게 변해가고

수박은 푸르다가
속만 빨갛게 변하고
겉은 끝까지 푸르다.

고추는 매워지고
수박은 달콤해진다.

고추와 수박이 사는 법 2

고추잠자리가
허공을 가른다.

고추밭의 고추도
빨갛게 익어간다.

빨간 과일처럼
예쁜 고추를
한입 베어 문다.

매우 맵다.
고추씨는 보름달
되어 달아난다.

숲이 고요하다고 느끼는 것은

사실 숲처럼 많은 생명이
모여 있는 곳은 드물다.
그런데 왜 이리 고요할까?

살아 있는 생명체들이 군락을
이루고 있는데 고요하다고
느끼는 것은 동물보다 식물이
압도적으로 많기 때문이다.

더욱이 가장 소음 유발자인
인간들이 많이 있지 않기에
더욱 고요함을 느끼는 것이다.

새들이 떠나간 숲에는

새들이 떠나간 숲에는
시인만이 남아 있다.

시인은 스스로 먹이를
그 숲에서 만들기에
숲속을 떠나가지 않는다.

시인은 자리를 고수하고
지내기에 식물과 같다.

태양과 별 바람과 물은
시인의 몸과 마음들이다.

두 팔을 벌리고 하늘을 보라

두 팔을 벌리고 하늘을 보라.
하늘을 바라보기에는 쉽지 않다.
우리의 시선은 옆으로 있다.

나무는 뿌리가 땅으로 향해도
가지는 하늘을 향해 무수히
많은 잎사귀를 펼쳐놓고 있다.

표면은 부딪치고 있는데 1

오대양 육대주인 지구의
겉 모습은 판의 작용이다.

그 판들은 대륙으로 나누어
틈만 나면 서로가 부딪친다.

우리 또한 멀쩡한 곳에 선을
긋고 읍면동을 나누고 국가로
나누고 틈만 나면 부딪친다.

표면은 부딪치고 있는데 2

지구 속을 드려다 보면
뜨거운 하나의 액체이다.

우주를 향해 중인 지구는
마찰열로 속은 불덩어리다.

판을 서로 쪼개면서 열을
밖으로 품어내 식고 있다.

그것은 지구의 호흡작용이다.
우리도 오늘 호흡작용을 한다.

솔가지는 바람길을

활엽수는 잎사귀를
다 떨구어도 가지로

바람길을 막고 있다.
그리고 답답하다 한다.

솔가지는 잎사귀를
다 내어도 바람길은

만들고 내놓는다.
그리고 시원하다 한다.

설거지에도 엄숙함이

설거지를 열심히 한다.
그릇에 묻어 있는 숨결
생명의 잔해를 닦는다.

하얀 거품 일렁거리며
맑은 물에 구름 된다.

설거지하는 동안에는
침묵이 덧없이 흐른다.

생명을 자연으로 보내는
마지막 의식이 된다.

자연은 이미 밥상이다

자연은 이미 밥상이다.
많은 생명은 서로가
서로에게 음식이 된다.

서로가 서로에게 순차적인
음식이 되어 먹이고 있다.

우리 또한 다른 생명을
좁은 식탁이나 상에 차려
그들을 음식으로 먹는다.

자연속의 집

산새 소리와
다람쥐만
주위를 맴돌고 있다.

인적 드문 곳
사람 발자국
흔적 하나 없다.

숲속 오두막
사색 문 열려있는
집 한 채 있다.

꽃이 지면 생명도 지는 것인가

꽃이 지면 생명이 탄생한다.
꽃이 지는 것을 마감의 의미로
자주 인용하는 것을 볼 수 있다.

그러나 생명이 지고 낳기 이전에
나무에 있어서 꽃을 피우는 것은
나무를 그리워하는 마음일 것이다.

꽃의 의미란

움직이는 생명처럼
격렬하지는 않지만

나무만의 내밀하고
사랑스러운 행위이다.

달콤하기에 벌들마저
쉽게 유혹에 빠진다.

꽃은 꺾기지 않는다.

꽃을 갖고 싶을 때
꽃을 꺾는다고 한다.

꽃은 꺾이지 않는다.
가지가 꺾일 뿐이다.

누구도 꽃잎 하나
쉽게 건들지 않는다.

다만 꽃은 때가 되면
스스로 고개 숙일 뿐이다.

바람을 먹고도 배가

불어오는 바람을
마음껏 들이마신다.

포만감을 느끼고 있다.
살아있다는 기쁨이다.

살아 있다면 호흡이다.
그대는 생을 즐기고 있다.

도토리

숲속이 고요하다.
혼자 남아 있다.
잠시 정적이 흐른 후에

도토리들이 하나둘씩
자리를 털고 나에게
조용히 굴러온다.

자연이 다가오는 소리다.
도토리를 친구로 대할 수
있어서 나는 좋다.

별이 모여 있다면

별이 모여 있다면
무리라 할 것이다.

별은 홀로 있기에
어둠 속에 별이다.

주변이 어둡다고
투덜대면 별이 아니다.

별은 어둠 속에 있기에
더욱 빛나는 별이다.

나른한 오후

나른한 오후이다.
한 사람만이 있다.

파리 한 마리가 주변을
쉼 없이 맴돌고 있다.

윙 하는 소리에 귀가
아주 한가롭지만은 않다.

파리의 소리를 기억한다.
사색 발동기 소리이다.

스쳐 가는 바람이라도 1

스쳐 가는 바람이라도
그 바람결이 시원한

청량감으로 다가온다면
큰 호흡이 될 것이다.

마음속에 남아있는 바람
모아 보면 내가 어디에

관심을 두고 살아가고
있는지 볼 수가 있다.

스쳐 가는 바람이라도 2

짧게 살다 가기에 많이 알고
싶더라도 짧은 생의 경험
만으로는 다 알 수가 없다.

간접경험이라도 풍부하게
공부를 통해서 습득해야 한다.

스쳐 가는 바람이 생명을
살리는 것처럼 간접경험도
마음을 살리는 바람이다.

스쳐 가는 바람이라도 3

일상의 생각에선 도저히
느낄 수 없는 소중한 생각이
바람처럼 왔다 스쳐 간다.

그 바람은 잠시 마음속에
머물다 떠나기에 자연이다.

부지런히 메모하여야 한다.
그것은 호흡 같은 것이기에
나의 마음속에 청량감을 주고
바삐 떠나가기 때문이다.

흔들의자 1

흔들의자가 놓여있다.
한쪽에 내가 앉아 있다.

두 사람이 넉넉하게
앉아 있을 수가 있다.

두 사람이란 몸을 의미한다.
몸만 앉아있으면 채워진다.

흔들의자 2

읽고 있던 책을 의자에
살며시 놓아 본다.
이제 빈자리가 아니다.

책 속에는 인물들이
두 사람 이상으로
묘사되어 존재하고 있다.

마음속으로는 이처럼
많은 사람이 한 의자에
앉아 있을 수가 있다.

제 4 장 애정에 대하여

현재 만나고 있는 친구가

현재 만나고 있는 친구가
있어 행복하다면 그 친구는
과거부터 이어온 친구이다.

오늘 같은 미래를 꿈꾼다면
현재의 친구는 과거 그대로
미래의 친구가 될 것이다.

이상적으로 친구를 그리지마라

현재 만나고 있는 친구가

현재 만나고 있는 친구가
있어 행복하다면 그 친구는
과거부터 이어온 친구이다.

오늘 같은 미래를 꿈꾼다면
현재의 친구는 과거 그대로
미래의 친구가 될 것이다.

옷을 만드는 데도 1

자식을 키우다 세월이 다 갔다.
이제는 자기가 하고 싶은 것을
하고 싶다는 장년의 여인이 있다.

이제는 내가 하고 싶은 일을 하여
즐거움과 활력을 찾고 싶다 한다.
취미생활로 바느질 솜씨가 있어
틈틈이 옷 만드는 것을 배우고 있다.

다만 자식들은 퇴근 후에 엄마의
빈자리로 불만이 많아지고 엄마는
자식들이 자신의 취미생활에 이해가
없는 것에 대하여 섭섭한 마음이다.

옷을 만드는 데도 2

자식을 키우는 것도 엄밀히 보면
내가 하고 싶은 것을 하는 것이다.
이제는 자식들을 다 키워 났으니
내가 하고 싶은 것을 하고 싶다면
똑같이 본능이 작동하고 있다.

힘들게 일하고 오는 자식들은
엄마의 위로가 여전히 필요하다.
자식을 안아주고 다독여 주는 것은

마음으로 옷을 입혀주는 것이다.
천으로 만드는 옷만 옷이 아니다.
취미생활에 앞서 마음을 일으켜야 한다.

한 번도 상처받지 않는 것처럼

누군가와 사랑하고자 할 때는
한 번도 상처받지 않은 것처럼
행동하라는 말이 있다.

지금의 사랑이 정말 진심이라면
당연히 그렇게 생각하지 않아도
그런 사랑을 할 수 있을 것이다.

굳이 가식적으로 사랑의 상처를
한 번도 받지 않는 사람처럼
꾸미는 일이 없어도 될 것이다.

과자봉지처럼 양말을

사실 과자 포장지는 맛있게
먹고 난 후 버리는 껍질이다.

그러나 양말은 잘 빨아서
다시 반복해서 쓸 수 있는
소중한 의류이며 껍질이다.

양말은 세상 속을 열심히
뛰어다니는 발을 감싸고
안아 주는 소중한 친구이다.

잘 통하는 사람이 필요하다는데

모두가 다 통하는 사람을 찾는다.
우선은 자기 자신이 먼저 자신을
온전히 통하도록 하여야 할 것이다.

온전히 통함은 어떠한 경우에서도
마음속의 생각이 잘 정리되어 있기에
스스로 잘 통하는 사람이 될 것이다.

이해관계에서 만남과 이별

이해관계에서 만남이 시작한다.
이해관계가 멀어지니 돌아섰다.

이를 배신이라 하지 말아야 한다.
단지 이해관계가 멀어졌을 뿐이다.

마음으로부터 만나온 사랑이라도
헤어지면 그냥 이별이라고 한다.

연애와 결혼이란

연애는 합하여 가는 여정이다.
다름에도 합하는 과정에서는
이질적인 요인이 오히려 서로를
당기는 힘으로 작용한다.
다름에 대한 호기심일 것이다.

결혼한 후에는 합한 것을
지속하면서 살아가는 여정이다.
서로가 달라서 그로 인해 한
방향성을 지향하는 결혼생활이
영위하기에는 무척 힘이 든다.

부부라도 식사시간을

식사한다든가 잠을 잔다든가
하는 것은 본능적인 행동이다.

다만 부부이기에 맞추어야 한다면
서로 이성이 작용해야 할 것이다.

일방으로 강요된 식사시간은
행복한 시간이 될 수 없을 것이다.

음식까지 만드는 것이 추가된다면
이는 말할 것도 없을 것이다.

가족이야기를 하는데 1

누군가가 가족 이야기를 한다.
어린 시절의 가정사를 보면
부모의 무능함으로 자신은
애정을 많이 받지 않았다 한다.

성인이 되어 시집와서도 남편과
시집 식구에 대해 불만이 가득하다.

그러한 것에 대한 스트레스로
일상생활을 제대로 하지 못해
시설에서 치료받고 있는 이가 있다.

가족이야기를 하는데 2

그 사람의 모든 관심은 혈연 등과
같은 생물학적 본능의 단계가
이성이나 자성의 단계에 비하여
지나친 비중을 차지하고 있다.

본능이란 속성은 주변의 것들이
자기에게로 향하지 있지 않으면
불만족해지므로 다양하게 많은

이야기를 하는 것 같아도 결혼 전
후에 혈연 등에 관한 이야기뿐이다.

청춘 그 말만으로 아름다울까

청춘 그 말만으로도 아름답다.
그러나 청춘 시절의 모든 행위가
꼭 젊고 아름답지만은 않다.

노년 그 말만 들어도 늙는다.
그러나 그 시절의 모든 행위가
꼭 늙어 볼품이 없지만 않다.

현재 이 시점에서 육체적 나이와
무관하게 인간다움을 위한 감정이
마음속에 살아 숨 쉬고 있다면
청춘이 함께 하는 것이다.

자식과 함께 한다고 하면서

청춘 그 말만으로도 아름답다.
그러나 청춘 시절의 모든 행위가
꼭 젊고 아름답지만은 않다.

노년 그 말만 들어도 늙는다.
그러나 그 시절의 모든 행위가
꼭 늙어 볼품이 없지만 않다.

현재 이 시점에서 육체적 나이와
무관하게 인간다움을 위한 감정이
마음속에 살아 숨 쉬고 있다면
청춘이 함께 하는 것이다.

부부가 보완 관계이면 1

아내가 온종일 나름 일하다가
집안일을 마무리 못 하고 쉰다.

마침 밖에서 일하고 들어온 남편
집안일이 아직 정리되지 않은
것을 아무 말 없이 마무리한다.

집안일에 부부가 서로 구분이 없다.
정말 평화롭고 좋은 부부관계이다.

부부가 보완 관계이면 2

집안일을 잘하다가도 어쩌다
한 번씩 잘못하는 경우가 있다.
남편은 그것을 이해할 수 없다고
잔소리를 하면서 불평을 한다.

좋은 사이가 되기는 힘들 것이다.
부부생활에서는 한쪽이 힘들어하거나
지쳐있을 때 서로를 위로와 이해로
보완해 주는 것이야말로 부부생활의
시작점이 되기 때문이다.

부부가 보완 관계이면 3

앞글에서 예를 든 부부 모습은
서로에게 불만이 있는 경우이다.

이들 부부는 주거지를 농촌으로
몇 년 전에 옮겨온 경우이다.

남편은 낚시 취미에 빠져 있다.
전원생활 하면서 집 근처 주유소
에서 시간제로 일하고 있다.

아내는 부업으로 농산물을 만들어
통신으로 판매하는 일을 하고 있다.

부부가 보완 관계이면 4

남편 처지에서 보면 아내가
돈만 아는 사람으로 보인다.

아내 측면에서 보면 남편은
지나치게 자기 취미 생활에
빠져있다고 생각하고 있다.

마음속에 서로가 맞지 않은
부분에 불만이 내재하여 있다.

이들 부부는 공동생활에서
사사건건 부딪치고 있다.

부부관계가 보완이면 5

철학적 측면에서 분석해 보면
두 사람이 모두 본능적 생활에서
벗어나지 못하고 있다는 점이다.

돈을 모으고자 하는 것이나
취미 생활을 하고자 하는 것도
생명체가 가지는 기본적 본능을
추구하는 단계이기 때문이다.

그러기에 서로를 보듬을 인간다움을
의한 감정을 유지코자 하는 이성을
작동하는 마음이 약한 것이다.

부부관계가 보완이면 6

부부관계도 공동체이기 때문에
물질이 꼭 필요하다. 그러나
그 욕심을 절제하면서 서로를
보듬으면서 이성적으로 많이
이해하면서 살아가야 향기롭다.

그것이 더욱 발전한다면 자성인
단계를 올려 문학이든 예술이든
자신의 능력을 극대화하는 것이다.

궁극으론 인류와 자연의 보편적
가치와 일치되는 생활을 한다면
참으로 아름답다 할 것이다.

부부지간에서 싸우면서

부부지간에 서로 이해하지
못해서 부부 싸움을 한다.

부부싸움을 하면서 서로가
서로에게 이해를 강요한다.

설득해도 이해를 할까 말까
하는데 싸우면서 자기만을

이해를 해달라고 하면 싸움을
이겨서 굴복시키는 방법뿐이다.

누군가를 미워한다면

누군가를 미워하지 마라.
미워하는 마음만큼이나

사랑할 수 있는 마음을
다 써버리기 때문이다.

미워하면서 살아가기엔
세상은 너무나 찬란하다.

물질보다는 사랑을 택한다는데

어떤 이가 자신 있게 말한다.
한때는 물질에 노예가 되었지만
지금은 물질을 추구하는 것에서
벗어나 사랑을 택하고 있다고 한다.

그러나 물질이나 사랑이나 자기가
하고 싶은 것을 하는 것은 같다.
이는 욕망과 다름이 없는 겉모습만
다른 본능 작용에 따른 같은 선택이다.

제 5 장 학문에 대하여

책들이 쌓여 벽이 된다면 1

텔레비전 프로에서 출연자들이
인터뷰할 때 보면 많은 사람이
책이 빼곡하게 들어 있는 책장을
배경으로 사진을 촬영하는 것을
자주 볼 수 있을 것이다.

물론 전문가가 되기 위해선 많은
지식이 필요하고 책을 많이 읽는다.

다만 그 책들이 전공 서적 이외도
다른 학문과의 교류하고 교감하는
책들이 책장에 있다면 벽은 이미
학문의 창문으로 변해 있을 것이다.

책을 쌓아서 벽이 된다면 2

책장 속의 책들이 본능을 위한
보호벽이 되는 경우가 있다.

책의 목적성이 원초적 본능을
채우기 위한 도구로 사용되는
상황에 해당할 것이다.

학문하는 것이 주로 본능의
실현을 위한 도구로 사용되는
경우에 치우치지 않아야 한다.

꿈이란 1

꿈이란 또 다른 나를 의미한다.
의식이 잠을 자는 상태이다.

꿈속에서 무의식 세계가 펼쳐지는
것으로 무의식적 마음은 자연이다.

꿈을 기억한다는 것은 내면의
나를 꿈속에서 들여다볼 수 있다.

꿈 2

꿈을 꿀 수 있는 것은
잠을 잘 때 꿀 수 있다.
무의식 상태에 있을 때
가능한 것으로 의식이 제어
할 수 없는 상태에 있다.

이를 자연 상태에 있다는
것으로 보고 또한 본질은
자연에서부터 시작하고
존재는 실존으로부터
해석하는 방법의 하나이다.

꿈 3

동양에서 꿈의 해석은 천문학과
과학을 동시에 아우른다.

대자연과 그에 비교되는 소자연인
인간을 대비하여서 동일 시 하는
관점에서 본질과 존재를 꿈과 비교
분석하여 해석한다.

서양에서의 꿈의 해석은 유 무신론적
생사관이 잠재된 인간이란 한정된
틀과 상황에 대하여 정신분석과
심리학적 접근방식으로 해석한다.

마당놀이기는 한데

마당놀이를 열심히 하고 있다.
다만 다른 사람의 마당에서
열심히 관중으로 참여하고 있다.

관중으로서 적극적으로 참여하는
것도 하나의 극 중 구성원 된다.
하지만 그 마당놀이의 주체자로
적극적인 생산자는 아니다.

나에게 인생은 한 번뿐인 생이다.
늦기 전에 자기 마당도 만들어서
의미 있는 마당놀이를 해보기 바란다.

자기 마당을 갖는 것이란 1

자기의 마당이란 창의적이며
사색적인 마음의 공간을 말한다.
즉 형이상학적 뒷배를 말한다.

단순히 흉내 내는 것이 아니라
새로움을 생각하고 만들 수 있는
사색의 마당을 의미하는 것이다.

빼어난 솜씨로 모방한다 해도
자기마당에서 창작하는 이와는
만족도와 의미에서 비교될 수 없다.

자기 마당을 갖은 것이란 2

무언가 하고 싶은 것은 것이
있다는 것은 인간을 포함한
생명체가 갖은 본능의 욕구이다.

다만 인간이기에 도구를 사용하여
그림을 그린다든가 악기를 연주
하게 되든지 노래를 부를 것이다.

우선은 잘 부르기 위해 공부를 한다.
그것은 광의의 모방이 될 것이다.

자기 마당을 갖은 것이란 3

그림과 음악을 잘하고 싶은 욕구에
그에 대한 수단을 잘 닦고 배워내면
일정한 수준의 표현력을 갖추게 된다.

내재하여 있는 무의식의 자기 정신과
사색의 마음에다 표현력이 결합함으로써
새로움을 창작하는 예술의 마당이 된다.

그리고 자성을 향한 이성을 유지하면서
사색의 여백에 창의성과 의미를 담아
내면 자기마당을 극대화하는 것이다.

학문을 하는 이에게

사교모임이나 맛 탐방을 즐기는 이가
책만 보는 이에게 말하기를 자기애가
강해서 책만 읽고 있다고 말한다.

일면 맞는 면도 있어서 이해가 간다.
하지만 사교와 음식 등을 먹는 모임은
순기능과 비교하면 소비적이다.

그는 학문을 공급자가 아닌 수혜자의
시각으로 말하고 있음을 알아야 한다.

그림에서 흑백이란 1

그림을 그리는 전통적인
화법에서 동서양은 기법이
서로 확실한 차이가 있다.

그림을 그리는 방법 중에
태양 빛을 표현하는 점에서
도 물론 기법의 차이 있다.

동양화에선 태양 빛을 붓끝의
선으로 사물을 표현하거나
선을 중첩하여 사물의 명암을
선과 여백으로 표현한다.

그림에서 흑백이란 2

반면 서양화에서는 빛의
명암을 면으로 구분하여
밝고 어두움을 표현한다.

밝음과 어두움에 신념 적
의미가 더해져 밝은 면은
선으로 어두운 면은 악의
의미로 표현되기도 한다.

선악의 이분법도 이러한
면에서 찾아볼 수 있겠다.

한길로 가는 여정에서

한길을 가는 여정에서 또 다른 길과
여정이 생각난다면 기왕에 가는 길은
집중하기 어려울 것이다.

그러나 현재의 길만 고집하지 말고
생각나는 것들을 잘 분석해야 한다.
나를 지켜본다는 것은 긍정적이다.

본능에 의한 충동적 방향이 아닌
이성적 또한 자성적 목표로 가고
있는지 끊임없이 지켜봐 주는 있는
마음이 작동하고 있기 때문이다.

주관적인 관심이란

어떤 사물에 자기만의 관심이 있다.
동전 하나라도 소중하게 느낀다.
경우에는 그 방면에 수집가도 된다.

다른 사람에게는 하잘것없어도
당사자에겐 중요하게 느껴진다.
그것은 생각의 다양성을 의미한다.

다만 주관적 가치로는 소중하지만
객관적 가치로 평가하기는 매우
어렵다는 것을 함께 알아야 한다.

사방이 막힌 공간이라도 1

사방이 막힌 공간이라면
사실 숨통이 막힐 것이다.

더구나 시선과 생각들이
밖에 있는 사물에게 향해
있을 경우에는 더욱 더
답답함을 느낄 것 이다.

문이 없는 형편에 있어도
용기를 내어서 사방의 벽
중에 한곳이라도 허물고
문을 만들어야 한다.

사방이 막힌 공간이라도 2

사방이 막힌 공간이라면
그 중 한 곳이라도 책장을
놓고 책들을 정리하여보라!

책장은 수많은 창문이다.
그 창문엔 과거와 현재
미래의 모든 창문이 있다.

그 창문은 책장을 넘기는
순간에 열리는 글 문이다.

유명한 것이란

어떠한 작가라도 유명해
지는 것이 글을 쓰고자
하는 목적은 아닐 것이다.

그러나 독자는 유명한 것이
그들의 선택하는데 기준이
되기 쉽다는 점이다.

이런 괴리감은 소중한 보석을
찾은 데 시간이 많이 소요되는
요인 중의 하나가 될 것이다.

제 6 장 세상에 대하여

한 가지를 잘한다고

자기의 분야에서는 잘한다.
그래서 당연히 다른 분야도
잘할 수 있다고 착각을 한다.

예를 들면 바둑을 잘 두는
고수인 이가 바둑 한 수에
세상의 이치가 있다고 한다.

그래서 바둑을 잘 두는 자기는
세상의 이치를 훤히 알고 있고
자기는 남들보다 고수라 한다.

그는 바둑의 수를 세상의 이치로
알고 바둑만을 잘 두는 것이다.

하고 싶은 것이 많아서

젊은 시절에는 열심히 생활 속에서
돈을 벌고자 살다 보니 자기가 하고
싶은 것을 제대로 하지 못하였다 한다.
이제는 하고 싶은 것을 해야겠다고 한다.

그러나 하고 싶은 것이란 본능의 또
다른 추구를 의미하는 것의 이름이다.

그 당시 이쪽 본능을 해소하지 못해서
다시 말하면 본능 총량에 막혀 하지
못한 것을 하고자 하는 것일 뿐이다.

모으는 것과 나누는 것은

모으려고 하는 것은 본능이다.
그 본능의 곳간은 결코 채울 수
없는 무한한 욕망의 곳간이다.

모으는 것을 멈추고 본능을 제어
하여 타인에게 나눌 수 있다는 것은

사람다운 감정이 작동하는 것이니
이는 이성으로 본능을 다스려야 한다.

내가 원하는 방향이라면

내가 원하는 방향이라면
스치는 바람도 인연이다.

무언가 하고자 하는 일을
평소에 느끼지 못하였어도
잠깐만 스쳐 가는 것뿐

인데도 크게 느껴지는 것이
있다면 그것은 그대가 하고
싶은 일인지도 모른다.

화를 내는 것에 따라서

어떤 이들은 애들처럼 작고
미미한 것에 화를 잘 낸다.

어떤 이들은 감정적이면서
충동적으로 화를 잘 낸다.

화를 내는 대상에 따라서
사람의 의식 수준과 관심의
대상을 가름할 수가 있다.

재산을 모으려고 하는 것이

재산을 모으려고 하는 것이
노년까지 이어진다면 이는
모으고자 하는 본능의 욕구를
계속 유지하고 있는 것이다.

모으는 본능은 물질뿐 아니라
무언가 습득하고 배우는 것들도
다 적용되고 해당할 것이다.

가지고 있는 지식 또한 모으는데
쓴다면 역시 본능의 도구가 된다.
모으는 것과 나누는 것이 균형을
가질 때 사람답다 할 수 있다.

취미생활이란 1

무언가 끊임없이 모으고자 한다.
생명을 포획하는 수렵이나 낚시는
그것도 다른 생명체를 잡는다.

원초적 본능의 행위의 하나이다.
왕성한 본능의 표출작용이다.

얼마간의 전문성과 도구화가 되어
있다면 이는 취미생활이라 한다.

취미생활이란 2

자기가 하는 취미생활을 한다.
서로 같이하지 않음에 대하여
아쉽다고 하면서 이해할 수가
없다고 서운하다고 하는 이가 있다.

본능이 작동하는 취미생활은
포장되어서 꾸미며 지지 않고
있기에 하고 싶지 않으면 하지
않음이 정상임을 알아야 한다.

취미생활이란 3

다만 예능을 취미로 하는 경우에
무대서는 것을 통해 자기의 실력을
들어나 보이고 함께 즐기고자 하는데
상을 받기 위한 것이 욕심이 된다.

본능에 욕심이 더해 서로 경쟁을
하여 예술이 예술답지 못하게 된다.

무대에 서는 것이 예술로 즐거움을
갖기 위한다면 사람다움을 위함이니
본능을 중화시키는 작용이 될 것이다.

말을 할 때에도

옷감을 가지고 옷을 만들 때
그중에 필요한 천만 쓰게 된다.
그리고 나머지 천이 남게 되는데
이것을 자투리 천이라 한다.

말을 할 때도 언어의 마술사라도
꼭 필요한 말만 요점으로 정확히
짜임새 있게 말하기는 쉽지 않다.

자투리가 남은 말인 경우 꼬투리로
잡지 말고 자투리로 생각할 수 있는
언어에 대한 이해심 또한 필요하다.

빵과 자유는 함께할 수 없는 것일까

빵과 자유라는 말은 별개인 듯하나
사실 빵을 갖고 싶은 것도 자유이며
빵을 먹고 싶은 것도 자유일 것이다.

빵이란 형이하학적 사물의 정의와
자유라는 형이상학적 마음작용을
대칭적 위치에 놓는 것이 모순이다.

결국, 우리라는 사회적 개념을 대입
되어 개념을 복잡하게 만들고 있다.
빵이란 한정된 재화의 생산과 분배에
따른 공정성에 대한 문제인 것이다.

식탁에서의 대화가

우리는 흔히들 식탁에 마주 앉아
도란도란 정답게 대화를 한다.

그러나 대부분 그런 머릿속의
관념과는 다르게 생각보다는
대화가 매끄럽지 못하고 다툼이
많이 생기는 것을 볼 수가 있다.

사실은 식탁이란 곳은 많은 생명
들을 살 처분하여 마지막 보내는
장소이기에 숙연함과 긴장감 또한
내면으로는 흐르고 있는 곳이다.

속 좁게 믿지 말자

하나만 알고 하나만 믿으면
그것은 유일한 진리가 된다.

그대가 하나를 믿는 동안에
다른 하나를 믿는 사람 역시
그 하나가 유일한 진리가 된다.

그 둘을 알고 둘을 믿는 이는
그 둘이 역시 진리일 것이다.

스트레스를 푼다고 하면서 1

여러 생각이 담겨 정리가
되지 않는 생태가 지속 되면
스트레스가 쌓였다고 한다.

그래서 해소책으로 여러 노력을
하는데 그중에 하나가 더 큰
스트레스를 갖은 방법이다.

현재 스트레스보다 더 큰 생각을
그 고민의 울타리에 가두어 놓은
경우에 이를 삼매에 든다고 한다.

젊음을 가지고 있다지만

젊음을 현재 가지고 있다지만
미래에 대한 일신상의 생각과
준비에만 계속 골똘히 한다면
과연 젊다고 할 수 있겠는가?

달성하고자 하는 것이 미래라면
목표의 설정에 늙음도 포함된다.
젊은이는 미래의 마무리 목표보다
현재 과정이 우선이어야 젊음이다.

낮은 단계의 이성이란

여러 본능이 서로 다투어지면
본능 간에 조정이 필요해진다.

이럴 때 본능의 총량에서
벗어나지는 않도록 단계별로

우선순위를 정하고 조절해야
하는 경우가 생기는 현상이다.

이때는 이성이 본능을 조절하는
역할을 하게 되는데 이때의 이성은
본능이란 목적의 수단이 된다.

마음과 몸은

젊어서는
몸이 마음을
사람 속으로
끌고 가고

늙어서는
마음이 몸을
자연 속으로
끌고 간다.

누군가가 음식을 해준 경우

음식이 맛이 없다거나 짜다.
아니면 싱거울 경우가 있다.
음식을 간 보는 시간은 단지
몇 초의 시간이면 충분하다.

그러나 음식으로 변한 생명
그 생명을 만들기 위해 많은
시간을 힘들게 보냈을 것이다.

음식을 만든 이에게 불만이 있다.
그래도 음식으로 내어준 생명에겐
감사의 마음을 잊지 말아야 한다.

일을 하다가 어려워지면

일하다가 실패를 했다.
누군가를 원망하고 있다.
아직도 실패의 여정에 있다.

실패에서 벗어나서 새롭게
다시 도전하고 있다면 분명
남을 절절히 탓하지 않는다.

남을 탓하고 있다면 멈추고
내 안을 들려다 보기 바란다.
그 순간 새 출발은 시작된다.

재주가 있는 사람이라면

재주가 많이 있는 사람이
본능적 욕심에 관심을 두고
살아간다면 재주가 많은 것이
욕심의 수단이 되어 하나로
집중하지 못하고 마무리를
제대로 하지 못하게 될 것이다.

많은 재주를 하나로 집중하여
융합적인 발전을 도모해야 한다.

또한, 인간다움을 위한 감정을
유지하여 본능을 절제할 수 있는
이성적 판단이 작동하여야 한다.

꼭 하나에서만 시작되었다고

무수히 많은 모래와 먼지가 있다.
그것들이 뭉쳐서 하나의 돌이 된다.

이처럼 여럿이 있는 중에서 하나를
이루는 경우도 있다는 점이다.

광활한 우주의 세계에서는 분명하게
여럿 중에서 하나를 헤아릴 뿐이다.

자기라고 부르면서

자기 자신이라면 정말로
미워한 적이 있는가?

미워하다가도 온전히 용서가
되는 것은 오직 나일 것이다.

자기라고 부르는 사람이라면
온전히 용서할 수 있어야 한다.

토론에 앞서

토론에 앞서 인생관을 서로
확인하고 교감할 수 있는지
그 여부를 알아보아야 한다.

교감의 여지가 없지만, 토론을
하면 서로의 굴복을 전제하는
다툼으로 결론되어 진다.

이런 토론은 본능은 작동하면서
이성은 작동하지 않기 때문이다.

갈 곳을 찾는 다면

갈 곳을 찾고자 한다는 것은
다른 곳에서 왔기에 가고자
하는 것이며 이는 움직이는
생명체의 기본적 본능이다.

더욱이 갈 곳이 정해져 있지
않는다면 더욱 막연히 불안한
심리가 가중되어 한층 힘들다.

갈 곳을 찾기 이전에 저곳에서
이곳으로 갔다고 생각하면서
여기서 무언가 도모를 해야 한다.

믿기 위해서는 1

믿는 것 자체는 형이상학적
신념이기에 어찌 보면 무척
단순하면서 간단명료하다.

그냥 믿고 안 믿고를 바로
물어보고 답을 하는 것으로
문제와 답이 순식간에 끝난다.

그러나 본질에 대한 믿음은
과학적 규명을 먼저 치열하게
하면서 그에 대한 결론에 따라야
할 것이다.

믿기 위해서는 2

본질 자체에 대한 영역은
무한한 우주이니 계속하여
과학으로 규명해야 할 것이다.
그리고 규명되지 않은 것은
신비한 신념으로 각인이 된다.

그 틈새는 점점 좁혀가고 있다.
그러기에 본질을 전부 신비의
영역으로 한정하는 것은 문제이다.

실존하는 존재로서 치열하게 본질
규명에 대해 사색을 해야 한다.
그렇지 않으면 본질에 대하여 맹목적
비과학적 신념이 자리 잡게 된다.

스스로 행복해 하는 것이란 1

누군가가 있어야 행복해하는 것은
갖고 싶은 본능이 작동하는 것이다.

욕심을 채우는 것은 끝이 없기에
현재 다가와 있는 것이 행복이라
느끼지 못하는 한계를 가지고 있다.

곁에 없어도 행복할 수 있어야 한다.
내 마음과 함께하기에 가장 소중한
것을 갖고 있어 행복해야 한다.

스스로 행복해 하는 것이란 2

행복을 느끼는 것은 마음이다.
마음이 행복하게 느끼면 된다.

그런데도 마음과 상관없는 것인
외부의 요인에서 행복을 찾고 있다.

마음을 행복하게 하는 것에 대한
방향을 잘못 잡고 있는 모습이다.

마음속에서 불행하다고 생각하면서
시작하기에 행복한 마음을 찾게 된다.

상대방을 알고자 하면서도

상대방을 알고자 자리를
마련한 후에 자기 말만 한다.

결국은 상대방에게 나에 대해
잘 알게 해주는 자리가 된다.

상대방은 자기가 알고 있는 것과
새로운 것까지 더욱 알게 된다.

썩어질 육신인데 1

이 말은 나름 부지런한 사람이
상대적으로 게으르다고 생각하는
사람을 채근하기 위한 말로 자주
사용하고 인용되는 말이다.

죽으면 썩어질 육신을 부지런히
활용하지 않는다고 하는 말이다.

일면 맞게 느끼지만, 모순이 있다.
죽어서 썩어질 육신인데 왜 열심히
힘들게 몸을 써야 하는가?

썩어질 육신인데 2

생의 목적에 대한 것을 지향
하는 것은 사람마다 다르다.

그 사람이 주장하고 있는 것은
정신적 가치 기준은 차지에 두고
육체를 노동의 효용성에 방점을
찍고 보는 관점이다.

정신적 가치와 마음에 비중에
따라 사람은 각기 다르기에
그 사람이 원하는 방향의 노동을
하고 싶지는 않음을 알아야 한다.